Para Dora, Sem-Pernas, Pedro Bala,
Gato, Professor, João Grande...
Capitães da areia das ruas da Bahia.

CB041527

© 2002 do texto por Myriam Fraga
© 2002 das ilustrações por Angelo Bonito
Callis Editora Ltda.
Todos os direitos reservados
2ª edição, 2019

TEXTO ADEQUADO ÀS REGRAS DO NOVO ACORDO ORTOGRÁFICO DA LÍNGUA PORTUGUESA

Publicado sob licença de Zélia Gattai,
herdeira e inventariante do espólio de Jorge Amado.

Coordenação editorial: Miriam Gabbai
Preparação de texto: Mariângela Bueno
Revisão: Nelson de Oliveira e Ricardo N. Barreiros
Escaneamento e tratamento das imagens: Márcio Uva
Diagramação: Carlos Magno

CIP-BRASIL. CATALOGAÇÃO-NA-FONTE
SINDICATO NACIONAL DOS EDITORES DE LIVROS, RJ

F87j
2.ed.

Fraga, Myriam, 1937-

    Jorge Amado / Myriam Fraga ; ilustrações de Angelo Bonito. - 2.ed. - São Paulo :
Callis Ed., 2019.

il. color. - (Crianças famosas)

ISBN 978-85-454-0038-7

    1. Amado, Jorge, 1912-2001 - Infância e juventude - Literatura infantojuvenil.
2. Escritores brasileiros - Biografia - Literatura infantojuvenil. 3. Literatura
infantojuvenil brasileira. I. Bonito, Angelo, 1962-. II. Título. III. Série.

09-5732.   CDD: 928.699
                                               CDU: 929:821.134.3(81)
04.11.09   12.11.09   016172

Índices para catálogo sistemático
1. Literatura infantil 028.5
2. Músicos: Literatura infantil e juvenil 028.5

ISBN 978-85-454-0038-7

Impresso no Brasil

2019
Callis Editora Ltda.
Rua Oscar Freire, 379, 6º andar • 01426-001 • São Paulo • SP
Tel.: (11) 3068-5600 • Fax: (11) 3088-3133
www.callis.com.br • vendas@callis.com.br

Crianças Famosas

JORGE AMADO

Myriam Fraga e Angelo Bonito

callis

Olhando as águas do rio agitadas por um forte vento, dona Eulália pensou que talvez fosse chover e tratou de recolher as roupas que secavam no quintal. Só então chamou o menino:

— Jorge, venha para dentro de casa que por aí vem chuva grossa!

O menino brincava no terreiro em frente à casa da fazenda e não parecia ter medo do aguaceiro anunciado pelas nuvens cinzentas...

Da porteira vinha o tropel das mulas que chegavam apressadas com os caçuás cheios de frutos do cacau, tendo à frente o coronel João Amado que voltava da roça mais cedo, com medo do temporal que ameaçava desabar.

O coronel João Amado e sua mulher, dona Eulália, ou Lalu, como todos a chamavam, tinham dificuldade em cuidar da fazenda. As roças de cacau eram plantadas no meio da mata virgem, numa região ainda selvagem, onde as pessoas viviam brigando pela posse das terras.

Naquela noite chuvosa, enquanto o marido, preocupado, vigiava as águas do rio que ameaçavam transbordar levando na enxurrada casas e bichos, Lalu só pensava em levar o pequeno Jorge para um lugar onde estivesse mais seguro.

Primeiro filho do casal, Jorge nasceu na fazenda Auricídia, no dia 10 de agosto de 1912. Seus pais, Eulália e João Amado de Faria, vieram de Sergipe para o sul do estado da Bahia. Tinham a esperança de enriquecer plantando cacau, os frutos dourados que iriam fazer a fortuna de muita gente.

"Mas será que valeria a pena tanto sacrifício?", repetia Lalu, vendo a enchente do rio destruindo as plantações que lhes custaram tantos anos de trabalho.

Pela manhã, antes que fossem atingidos pelas águas, decidiram partir com outros retirantes para o povoado de Ferradas e de lá para a cidade de Ilhéus, distante uns bons quilômetros da fazenda Auricídia, onde viviam até então.

Em Ilhéus, a família estabeleceu-se com muito sacrifício num lugar chamado Pontal, onde o coronel João Amado passou a manter a família com a fabricação de tamancos.

Aqueles foram tempos de muita pobreza, mas também de muitas descobertas para o menino Jorge, que, pela primeira vez, via a vastidão do mar e o movimento dos navios no porto do Malhado.

Foi em Ilhéus que começou a perceber que o mundo não era só o território limitado pela porteira da fazenda. Era algo maior, que se espalhava para além do que seus olhos podiam ver. "Para onde vão os navios que deixam o porto, com o convés cheio de passageiros e os porões carregados de mercadorias?", perguntava-se admirado.

Foi ali também que Jorge começou a conhecer outras pessoas, além dos membros da família e dos empregados da fazenda.

Havia muitas crianças com quem ele gostava de brincar na praia onde ficavam horas a fio ouvindo a conversa dos pescadores.

Eles contavam histórias de peixes enormes e tempestades que eles enfrentavam em seus barcos, que mais pareciam casquinhas de noz na imensidão do oceano.

Dessas histórias, a que mais agradava às crianças era a de dona Janaína, a princesa de Aiocá, uma sereia muito bonita que vivia no fundo das águas.

Dos adultos com quem convivia, Jorge gostava particularmente do tio Álvaro de Faria e de Argemiro, um antigo empregado de seu pai, que costumava levá-lo à feira. Lá ele se distraía com muitas novidades, entre balaios de frutas, cachos de banana, raízes de inhame e aipim, e se deliciava com as cantorias e os desafios dos poetas de cordel.

A situação financeira da família ia aos poucos voltando ao normal e o coronel João Amado comprou uma nova fazenda, a Tararanga, e voltou a plantar suas roças de cacau. Mais tarde, comprou também uma casa em Ilhéus, onde passaram a morar. A casa era tão bonita que dona Lalu dizia sempre, toda orgulhosa:

— Nossa! Parece um palacete!

O menino, que aprendeu a ler com a mãe soletrando as letras do jornal *A Tarde*, passou a frequentar a escola de dona Guilhermina, onde fez novas amizades. Dona Guilhermina, uma professora à moda antiga, era o terror da criançada:

— Menino só aprende com castigo — dizia ela, de olho na palmatória.

Mas Jorge não se incomodava com as implicâncias da professora. Era um bom aluno, escrevia muito bem e até inventou um jornalzinho que ele batizou de *A Luneta* e onde vivia a escrever artigos e entrevistas, o que deixava dona Lalu muito orgulhosa com a inteligência do filho.

Jorge, muito novo, teve seu primeiro desgosto. A cidade de Ilhéus foi atingida por uma epidemia de varíola, doença muito temida na época, e, como naquele tempo ainda não tinham descoberto a vacina, um de seus coleguinhas ficou muito doente e não resistiu.

Esse episódio, que ele nunca haveria de esquecer, deixou-lhe um vazio no peito e a certeza de que o mundo não era feito só de alegrias e brincadeiras, mas também o sofrimento fazia parte da vida.

Em compensação, na família Amado o clima era de felicidade com o nascimento de James, o filho caçula que, com o pequeno Joelson, que nascera dois anos antes, viria completar o trio de dona Lalu.

Quando Jorge fez dez anos, os pais resolveram mandá-lo estudar em Salvador "para ser gente", como dizia dona Lalu, como aluno interno no Colégio Antônio Vieira, dos padres jesuítas, um dos melhores da cidade, onde o menino ficou durante dois anos.

Acostumado a viver sempre em liberdade, Jorge não se conformava com a rotina do internato e sentia-se muito infeliz. Para seu consolo, tinha a amizade de um dos professores, o padre Luís Gonzaga Cabral, famoso por sua sabedoria. Vendo que o menino gostava de ler e de escrever, começou a familiarizá-lo com os livros da biblioteca do colégio. Foi o primeiro encontro de Jorge com a literatura.

Mas o desejo de ser novamente livre não o abandonava um só instante.

No início do terceiro ano do colégio, com apenas 12 anos, ao voltar das férias, depois de despedir-se do pai na porta do colégio, Jorge fugiu para Sergipe.

Depois de atravessar o sertão baiano, foi parar na casa do avô, José Amado de Faria, em Itaporanga, onde logo se tornou uma atração. Metido num velho fraque que descobriu nos guardados do avô, improvisava comícios e leituras em cima de um caixote transformado em palanque.

Quando o coronel João Amado soube das proezas do filho, ficou muito zangado, mas dona Lalu, como sempre fazia, logo achou uma boa desculpa para o fujão:

— Coitadinho do Jorge, ali naquele internato, como se fosse um criminoso, na prisão...

E logo deu um jeito de salvar o "pobrezinho" que, depois de uma boa bronca, foi matriculado em outra escola, também em Salvador, o Colégio Ipiranga, agora como aluno externo. Então, passou a morar na casa do tio Fortunato, irmão de dona Lalu, que também tinha um filho da mesma idade que ele.

Quando fez 15 anos, Jorge Amado deixou a casa do tio para morar num casarão no Pelourinho e começou a trabalhar no jornal *Diário da Bahia* como repórter policial.

Em 1929, viajou para o Rio de Janeiro para estudar Direito, conforme o desejo de seu pai, mas nunca foi buscar o diploma. Em compensação, aos 19 anos, conseguiu publicar seu primeiro romance, *O país do carnaval*, que fez o maior sucesso, iniciando uma gloriosa carreira de escritor, um dos maiores do Brasil.

Durante a sua longa existência, Jorge Amado escreveu 34 livros, entre romances, biografias, discursos, guias de viagem, peças teatrais e livros infantis, que foram traduzidos para 49 idiomas e publicados em 55 países. Viajou por diversos lugares e conheceu pessoas muito importantes, participando de várias campanhas, sempre em defesa da liberdade, contra a discriminação e o preconceito.

Ganhou tantos prêmios e condecorações pelo seu trabalho, que até fizeram um museu em sua homenagem, no Largo do Pelourinho, na cidade de Salvador. É a Fundação Casa de Jorge Amado, onde as pessoas podem encontrar tudo sobre a vida e obra dele.

Morou em várias cidades: Rio de Janeiro, Buenos Aires, Paris...

Mas sua cidade preferida sempre foi a cidade de Salvador da Bahia de Todos os Santos.

Jorge Amado viveu durante muitos anos com Zélia Gattai, o grande amor de sua vida, numa linda casa cercada de árvores, no bairro do Rio Vermelho. Tinha a companhia dos filhos, Paloma e João Jorge, e dos netos, Mariana, Cecília, Bruno, Maria João, Macau e Jorginho.

Morreu aos 88 anos, cercado de muito carinho e respeito; e sua lembrança vive no coração de quantos leram suas histórias e se encantaram com seus personagens: Gabriela, Quincas Berro d'Água, Tieta do Agreste, Pedro Arcanjo, Jubiabá, Pedro Bala, Vadinho, Dona Flor... sem falar no Gato Malhado e na Andorinha Sinhá.